Die Deutsche Bibliothek – CIP-Einheitsaufnahme

Rumpelstilzchen : ein Märchen der Brüder Grimm /
[SBS, Schweizerische Bibliothek für Blinde und Sehbehinderte].
Ill. von Jürg Obrist. – Zürich : SBS, 1998.
ISBN 3-9521368-2-4 Gb.
ISBN 3-9521368-3-2 brosch.

Satz: Erich Gülland, Dielsdorf / Lithos: Photolitho AG, Gossau ZH
Druck: Proost N. V., Turnhout / Gasser Print AG, Chur

ISBN 3-9521368-2-4 (gebunden)
ISBN 3-9521368-3-2 (broschiert)

Der Text folgt den *Kinder- und Hausmärchen, gesammelt durch die Brüder Grimm*
(vollständige, textgetreue Ausgabe), herausgegeben und mit einem Nachwort versehen
von Carl Helbling, Manesse Verlag, Zürich

Rumpelstilzchen

Ein Märchen der Brüder Grimm
Illustriert von Jürg Obrist

Es war einmal ein Müller, der war arm, aber er hatte eine schöne Tochter. Nun traf es sich, dass er mit dem König zu sprechen kam, und um sich ein Ansehen zu geben, sagte er zu ihm: «Ich habe eine Tochter, die kann Stroh zu Gold spinnen.» Der König sprach zum Müller: «Das ist eine Kunst, die mir wohlgefällt; wenn deine Tochter so geschickt ist, wie du sagst, so bring sie morgen in mein Schloss, da will ich sie auf die Probe stellen.»

Als nun das Mädchen zu ihm gebracht ward, führte er es in eine Kammer, die ganz voll Stroh lag, gab ihr Rad und Haspel und sprach: «Jetzt mache dich an die Arbeit, und wenn du diese Nacht durch bis morgen früh dieses Stroh nicht zu Gold versponnen hast, so musst du sterben.» Darauf schloss er die Kammer selbst zu, und sie blieb allein darin.

Da sass nun die arme Müllerstochter und wusste um ihr Leben keinen Rat: sie verstand gar nichts davon, wie man Stroh zu Gold spinnen konnte, und ihre Angst ward immer grösser, dass sie endlich zu weinen anfing.

Da ging auf einmal die Türe auf, und trat ein kleines Männchen herein und sprach: «Guten Abend, Jungfer Müllerin, warum weint sie so sehr?» – «Ach», antwortete das Mädchen, «ich soll Stroh zu Gold spinnen und verstehe das nicht.» Sprach das Männchen: «Was gibst du mir, wenn ich dir's spinne?» – «Mein Halsband», sagte das Mädchen. Das Männchen nahm das Halsband, setzte sich vor das Rädchen, und schnurr, schnurr, schnurr, dreimal gezogen, war die Spule voll. Dann steckte es eine andere auf, und schnurr, schnurr, schnurr, dreimal gezogen, war auch die zweite voll: und so ging's fort bis zum Morgen, da war alles Stroh versponnen, und alle Spulen waren voll Gold.

Bei Sonnenaufgang kam schon der König, und als er das Gold erblickte, erstaunte er und freute sich, aber sein Herz ward nur noch goldgieriger. Er liess die Müllerstochter in eine andere Kammer voll Stroh bringen, die noch viel grösser war, und befahl ihr, das auch in einer Nacht zu spinnen, wenn ihr das Leben lieb wäre.

Das Mädchen wusste sich nicht zu helfen und weinte, da ging abermals die Türe auf, und das kleine Männchen erschien und sprach: «Was gibst du mir, wenn ich dir das Stroh zu Gold spinne?» – «Meinen Ring von dem Finger», antwortete das Mädchen. Das Männchen nahm den Ring, fing wieder an zu schnurren mit dem Rade und hatte bis zum Morgen alles Stroh zu glänzendem Gold gesponnen.

Der König freute sich über die Massen bei dem Anblick, war aber noch immer nicht Goldes satt, sondern liess die Müllerstochter in eine noch grössere Kammer voll Stroh bringen und sprach: «Die musst du noch in dieser Nacht verspinnen: gelingt dir's aber, so sollst du meine Gemahlin werden.» – Wenn's auch eine Müllerstochter ist, dachte er, eine reichere Frau finde ich in der ganzen Welt nicht.

Als das Mädchen allein war, kam das Männlein zum drittenmal wieder und sprach: «Was gibst du mir, wenn ich dir noch diesmal das Stroh spinne?» – «Ich habe nichts mehr, das ich geben könnte», antwortete das Mädchen. «So versprich mir, wenn du Königin wirst, dein erstes Kind.» Wer weiss, wie das noch geht, dachte die Müllerstochter und wusste sich auch in der Not nicht anders zu helfen; sie versprach also dem Männchen, was es verlangte, und das Männchen spann dafür noch einmal das Stroh zu Gold. Und als am Morgen der König kam und alles fand, wie er gewünscht hatte, so hielt er Hochzeit mit ihr, und die schöne Müllerstochter ward eine Königin.

Über ein Jahr brachte sie ein schönes Kind zur Welt und dachte gar nicht mehr an das Männchen: da trat es plötzlich in ihre Kammer und sprach: «Nun gib mir, was du versprochen hast.» Die Königin erschrak und bot dem Männchen alle Reichtümer des Königreichs an, wenn es ihr das Kind lassen wollte: aber das Männchen sprach: «Nein, etwas Lebendes ist mir lieber als alle Schätze der Welt.» Da fing die Königin so an zu jammern und zu weinen, dass das Männchen Mitleiden mit ihr hatte: «Drei Tage will ich dir Zeit lassen», sprach es, «wenn du bis dahin meinen Namen weisst, so sollst du dein Kind behalten.»

Nun besann sich die Königin die ganze Nacht über auf alle Namen, die sie jemals gehört hatte, und schickte einen Boten über Land, der sollte sich erkundigen weit und breit, was es sonst noch für Namen gäbe. Als am andern Tag das Männchen kam, fing sie an mit Kaspar, Melchior, Balzer und sagte alle Namen, die sie wusste,

nach der Reihe her, aber bei jedem sprach das Männlein: «So heiss ich nicht.» Den zweiten Tag liess sie in der Nachbarschaft herumfragen, wie die Leute da genannt würden, und sagte dem Männlein die ungewöhnlichsten und seltsamsten Namen vor: «Heisst du vielleicht Rippenbiest oder Hammelswade oder Schnürbein?» Aber es antwortete immer: «So heiss ich nicht.»

Den dritten Tag kam der Bote wieder zurück und er-
zählte: «Neue Namen habe ich keinen einzigen finden
können, aber wie ich an einen hohen Berg um die Wald-
ecke kam, wo Fuchs und Has sich gute Nacht sagen, so
sah ich da ein kleines Haus, und vor dem Haus brannte
ein Feuer, und um das Feuer sprang ein gar zu lächer-
liches Männchen, hüpfte auf einem Bein und schrie:

«Heute back ich, morgen brau ich,
Übermorgen hol ich der Königin ihr Kind;
Ach, wie gut ist, dass niemand weiss,
Dass ich Rumpelstilzchen heiss!»

Da könnt ihr denken, wie die Königin froh war, als sie den Namen hörte, und als bald hernach das Männlein hereintrat und fragte: «Nun, Frau Königin, wie heiss ich?» fragte sie erst: «Heissest du Kunz?» – «Nein.» – «Heissest du Heinz?» – «Nein.»

«Heisst du etwa Rumpelstilzchen?»

«Das hat dir der Teufel gesagt, das hat dir der Teufel gesagt», schrie das Männlein und stiess mit dem rechten Fuss vor Zorn so tief in die Erde, dass es bis an den Leib hineinfuhr, dann packte es in seiner Wut den linken Fuss mit beiden Händen und riss sich selbst mitten entzwei.

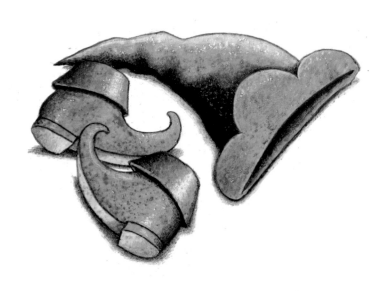

Die vorliegende Ausgabe des Märchens «Rumpelstilzchen» ist die 39. in der von der *Schweizerischen Bibliothek für Blinde und Sehbehinderte* (SBS) herausgegebenen Reihe illustrierter Grimm-Märchen. In derselben Reihe sind seit 1960 erschienen:

Die sieben Raben*
Illustriert von Ernst Cincera

Der Froschkönig*
Illustriert von Ernst Cincera

Aschenbrödel*
Illustriert von Ernst Cincera

Schneewittchen*
Illustriert von Ernst Cincera

Der Wolf und die sieben jungen Geisslein*
Illustriert von Ernst Cincera

Die Bremer Stadtmusikanten*
Illustriert von Ernst Cincera

Rotkäppchen*
Illustriert von Peter Lüthi

Der gestiefelte Kater*
Illustriert von Moritz Kennel

Dornröschen*
Illustriert von Moritz Kennel

Frau Holle*
Illustriert von Moritz Kennel

Hans im Glück*
Illustriert von Moritz Kennel

König Drosselbart*
Illustriert von Moritz Kennel

Das tapfere Schneiderlein*
Illustriert von Moritz Kennel

Rapunzel*
Illustriert von Moritz Kennel

Die goldene Gans*
Illustriert von Moritz Kennel

Tischlein deck dich*
Illustriert von Maurice Kenelski

Die Gänsemagd*
Illustriert von Maurice Kenelski

Schneeweisschen und Rosenrot*
Illustriert von Maurice Kenelski

Die zertanzten Schuhe*
Illustriert von Paul Nussbaumer

Das Eselein*
Illustriert von Paul Nussbaumer

Der Arme und der Reiche*
Illustriert von Jacques Schedler

Die drei Federn*
Illustriert von Jacques Schedler

Die kluge Bauerntochter*
Illustriert von Jacques Schedler

Der Teufel mit den drei goldenen Haaren
Illustriert von Jacques Schedler

Der goldene Vogel
Illustriert von Monica Rüdlinger

Die drei Männlein im Walde
Illustriert von Jürg Obrist

Die weisse Schlange*
Illustriert von Jürg Obrist

Daumesdick
Illustriert von Jürg Obrist

Das Lumpengesindel
Illustriert von Jürg Obrist

Die drei Spinnerinnen
Illustriert von Jürg Obrist

Das Bürle
Illustriert von Jürg Obrist

Der alte Sultan
Illustriert von Jürg Obrist

Die vier kunstreichen Brüder
Illustriert von Jürg Obrist

Hänsel und Gretel
Illustriert von Jürg Obrist

Das Wasser des Lebens
Illustriert von Jürg Obrist

Sechse kommen durch die ganze Welt
Illustriert von Jürg Obrist

Katze und Maus in Gesellschaft
Illustriert von Jürg Obrist

Vom klugen Schneiderlein
Illustriert von Jürg Obrist

Die mit einem * versehenen Titel sind leider vergriffen. Die übrigen können, solange der Vorrat reicht, zum Preise von Fr. 12.– (inkl. Porto und MWSt.) bei der Schweizerischen Bibliothek für Blinde und Sehbehinderte (Albisriederstrasse 399, 8047 Zürich, Telefon 01 / 491 25 55) weiterhin bezogen werden.